FECI

22 ⌐ ⁿⁿ 963

Asesinato del

Presidente

Kennedy

FECHAS PARA LA HISTORIA

22 de noviembre de 1963
Asesinato del Presidente Kennedy

Brian Williams

EVEREST

Título original: *22 November 1963,*
The Assassination of President Kennedy
Traducción: Liwayway Alonso Mendoza

First published by Cherrytree Book (a member of the Evans
Publishing Group), 2A Portman Mansions, Chiltern Street,
London W1U 6NR, United Kingdom

© Evans Brothers Limited 2002
This edition published under license from Evans Brothers
Limited. All rights reserved.
© EDITORIAL EVEREST, S. A.
Carretera León-La Coruña, km 5 - LEÓN
ISBN: 84-241-1065-4
Depósito legal: LE. 996-2004
Printed in Spain - Impreso en España
EDITORIAL EVERGRÁFICAS, S. L.
Carretera León-La Coruña, km 5
LEÓN (España)
Atención al cliente: 902 123 400
www.everest.es

Picture credits:
Corbis: 15, 16, 17, 20, 22, 23, 24, 25, 27
Hulton Getty: 6, 10, 11, 13, 21
PA Photos: 26
Topham Picturepoint: cubierta, 8, 9, 12, 14, 18

Sumario

El día en que murió el Presidente

El éxito parecía algo fácil para "JFK" y toda la nación tenía grandes esperanzas puestas en su presidente.

John Fitzgerald Kennedy fue el trigésimo quinto presidente de los Estados Unidos. Cuando fue elegido presidente, en enero de 1961, tenía 43 años y era la persona más joven que dirigía la nación.

Sin embargo, Kennedy fue presidente sólo durante dos años y diez meses. El 22 de noviembre de 1963 murió tiroteado durante una visita a la ciudad de Dallas, Tejas. Su asesinato conmocionó al mundo entero.

El tiroteo de John F. Kennedy fue un asesinato muy público. El último paseo de Kennedy en coche por Dallas fue seguido por una multitud de espectadores, y la televisión, la radio y los periódicos retransmitieron cada minuto. Los fatídicos segundos del tiroteo aparecieron en televisión, y se emitieron una y otra vez, de modo que quien los vio jamás pudo olvidarlos. Los expertos discutían acerca de las claves que los sonidos y las imágenes podían ofrecer acerca del número de disparos y su procedencia.

Para empeorar las cosas, el asesinato de Kennedy nunca llegó a juicio. Un sospechoso llamado Lee Harvey Oswald fue arrestado, pero mientras estaba bajo custodia policial fue asesinado a tiros. No hubo ningún juicio ante un tribunal. Los acontecimientos que se sucedieron aquel día de 1963 fueron analizados con todo detalle, pero para muchas personas la muerte del presidente seguía rodeada de misterio.

No sólo los americanos, sino también gente de muchos otros países que vivía en 1963 aún recuerda "el día en que murió el presidente Kennedy" y aún hoy en día continúan las discusiones acerca de su muerte. ¿Por que le dispararon? ¿Quién era el culpable?

El mapa muestra los lugares que JFK visitó en noviembre de 1963.

Kennedy para presidente

John Kennedy no fue el primer presidente de los EE.UU. en morir asesinado. Tres presidentes más antes que él murieron tiroteados por un **magnicida.** Fueron Abraham Lincoln, en 1865, James Garfield, en 1881 y William Mc Kinley, en 1901. La muerte de Kennedy suponía una conmoción especial porque aún era un hombre joven y daba la sensación de que le quedaba mucho por hacer como presidente. No existía ninguna razón o motivo aparente para su brutal asesinato.

Los Kennedy procedían de Boston, Massachusetts. John nació el 29 de mayo de 1917, el segundo de nueve hijos nacidos de Joseph Kennedy y su mujer Rose Fitzgerald.

La familia Kennedy en 1938. John, de 21 años de edad, está de pie al fondo, en el centro.

Antes de la Segunda Guerra Mundial, Joseph Kennedy, que era millonario, había ejercido como **embajador** americano en Gran Bretaña. Durante aquella guerra, John Kennedy sirvió en la marina de los EE.UU., como comandante de un barco patrulla en el océano Pacífico.

Cuando terminó la guerra, en 1945, John se metió en política. En 1946, ganó las elecciones al Congreso de los Estados Unidos, y en 1952 fue elegido para el Senado. En 1953, Kennedy se casó con Jacqueline Bouvier, la elegante hija de un rico financiero.

El **Partido Demócrata** escogió a John Kennedy como candidato a la presidencia en el año 1960. Su oponente, como representante del Partido Republicano, fue Richard M. Nixon, que desde 1952 había ocupado el cargo de **vicepresidente** del presidente Dwight D. Eisenhower. Nixon tenía experiencia en el gobierno. Sin embargo, cuando los hombres se enfrentaron en un debate televisado, Kennedy aparecía confiado y relajado,

El 20 de enero de 1961, el nuevo presidente juró su cargo en Washington DC.

mientras que a Nixon se le veía nervioso e incómodo. Kennedy ganó por un pequeño margen.

Por qué Kennedy fue a Dallas

Los presidentes no paran de viajar por toda América y el extranjero. El motivo por el que el presidente Kennedy viajó a Dallas en noviembre de 1963 es que se acercaban las elecciones y el presidente quería aumentar su apoyo en el estado de Tejas.

Como presidente, John Kennedy se había enfrentado a importantes desafíos. En octubre de 1962, tuvo que mostrar valor y determinación en el enfrentamiento contra los rusos acerca de una cuestión relacionada con Cuba. Unas fotos de espías americanos habían revelado que existían misiles soviéticos en la isla de Cuba, gobernada por el comunismo, que podían ser disparados con toda facilidad contra los EE.UU. El presidente Kennedy puso en alerta de guerra a las fuerzas armadas, y pidió a los rusos que sacaran sus misiles de Cuba. Durante una semana de tensión, el mundo estuvo al borde de la guerra. Después, el líder soviético Nikita Khrushchev se volvió atrás, y finalmente se retiraron los misiles de la isla.

En su primer discurso como presidente, Kennedy se dirigió a los americanos diciendo: "No se pregunten qué es lo que su país puede hacer por ustedes, sino lo que ustedes pueden hacer por su país".

En su país, las manifestaciones por la defensa de los derechos civiles llegaron a los titulares. Los manifestantes querían terminar con la **segregación** (la separación de las razas) en algunos estados del sur, como por ejemplo Alabama. Kennedy ordenó a las tropas de la Guardia Nacional que protegieran a los estudiantes negros de los ataques racistas.

En agosto de 1963, el líder defensor de los derechos civiles, Martin Luther King, convocó a 200.000 personas en la Marcha a Washington por la libertad.

Kennedy quería actuar a favor de los **derechos civiles** y otras cuestiones. Prometió llevar a un americano a la Luna antes del año 1970 para llegar antes que los rusos. Hablaba de un "nuevo horizonte": mejores colegios, hospitales y **asistencia social** para todos. Quería que los EE.UU. aportaran más ayuda a países extranjeros más pobres.

El año 1963 fue muy importante para la política americana. La siguiente elección presidencial tendría lugar en noviembre de 1964, y los estados del sur eran motivo de una gran preocupación. Por eso Kennedy se dirigió a Tejas. Quería continuar como presidente durante otros cuatro años más para alcanzar sus objetivos.

El viaje a Dallas

Al igual que sucediera en el año 1960, la nueva campaña electoral estaría dirigida por el hermano del presidente, Robert Kennedy, fiscal general de los EE.UU. También recibiría ayuda de otros miembros de la familia, entre ellos su hermano menor Edward Kennedy, que acababa de ser elegido **senador.**

Todos los miembros del bando de los Kennedy se sentían llenos de confianza. El presidente era popular y contaba con el apoyo de muchos votantes. Sólo en los estados del sur, como Tejas, se percibía un sentimiento anti-Kennedy. Algunos de sus críticos sureños sentían aversión por él porque le consideraban un "yanqui" del norte, demasiado rico y demasiado liberal. Además, Kennedy era **católico romano,** el primer católico que había llegado a presidente de los EE.UU.

Lyndon Johnson (en el centro) era un político que trabajaba muy duro, y un vicepresidente leal a Kennedy.

El vicepresidente Lyndon Baines Johnson, conocido por todos como LBJ, procedía de Tejas. Una visita de Kennedy a Tejas le serviría para ganar votos. También serviría para calmar una disputa entre dos demócratas locales, el **gobernador** John Connally y el senador Ralph Yarborough. El presidente había pensado ir en noviembre. Haría paradas en cinco ciudades a lo largo de tres días, y disfrutaría de una cena en el rancho de LBJ.

Johnson y su mujer ayudaron con los preparativos del viaje, y el personal supervisó hasta el último detalle. Los Johnson estaban inquietos. Un recibimiento poco amistoso en Tejas sería bochornoso.

El 21 de noviembre, los Kennedy se despidieron de sus hijos y volaron hacia el sur, a Tejas.

John F. Kennedy y su mujer, Jacqueline, con sus hijos, John y Caroline.

13

Bienvenido a Dallas

El grupo en el que iba el presidente hizo breves paradas en San Antonio y Houston. La multitud le vitoreó y las visitas transcurrieron bien. Pasaron la noche en Fort Worth. A la mañana siguiente, el 22 de noviembre, se prepararon para el breve viaje a Dallas.

El presidente se desperto a las 7:30. Se visitó con un traje azul grisáceo y una corbata. La señora Kennedy escogió un traje y un sombrero rosas para alegrar un día un tanto apagado. Tras el desayuno en el hotel, los Kennedy tomaron

Se había congregado una multitud para recibir al presidente y su mujer a su llegada la aeropuerto de Dallas el 22 de noviembre de 1963.

un vuelo de 13 minutos hasta Dallas. Al aterrizar en el aeropuerto Love Field, se dirigieron hacia la ciudad, formando una comitiva de coches oficiales. Eran las 11:55.

Era costumbre del presidente viajar en un coche descapotable, para que todo el mundo pudiera verle. Los Kennedy iban sentados en los asientos traseros de un Lincoln grande, azul, descapotable. En el asiento delantero iban John Connally, gobernador de Tejas, y su mujer. Junto al conductor iba sentado un agente del servicio secreto.

Los Kennedy estaban dispuestos a disfrutar del paseo por Dallas. Ya estaban acostumbrados a los guardias armados y a los agentes del servicio secreto que vigilaban cada movimiento. Otros agentes protegían al vicepresidente Johnson, que viajaba en el coche siguiente con el senador Yarborough.

La caravana presidencial se pone en marcha rodeada de escoltas en moto.

El almacén de libros escolares

El sol brillaba y hacía que todo el mundo se sintiera animado. La gente que encontraban a su paso agitaba banderas, tomaba fotografías y algunos les vitoreaban. Los Kennedy saludaban desde el coche, que ahora se movía despacio, de modo que los agentes del servicio secreto pudieron bajarse y acompañarle corriendo a su lado.

A las 12: 21 la caravana giró hacia la calle principal. A la derecha, en el cruce de las calles Houston y Elm, se encontraba un edificio llamado el Almacén de Libros Escolares de Tejas. Sus ventanas daban a un punto de la ruta en el que los coches presidenciales girarían en zigzag para dirigirse hacia un paso subterráneo.

En el almacén de libros escolares de Tejas se embalaban libros de texto para su distribución.

En el interior del almacén de libros, los trabajadores habían dejado de empaquetar libros para ver pasar al presidente. Desde una ventana del sexto piso se asomaba un empleado llamado Lee Harvey Oswald.

*El presidente Kennedy sonríe a la multitud mientras la caravana
se abre paso por las calles de Dallas.*

Todas las personas que rodeaban al presidente estaban
consultando sus relojes: 12:30. En cinco minutos el
presidente llegaría al Salón de exposiciones, para comer.
Cuando los coches giraron en la curva de la verde plaza
Dealey, un niño pequeño saludó al presidente. El presidente
levantó la mano para devolverle el saludo.

Se escuchó un sonido parecido al petardear de un coche. El
agente Clint Hill echó a correr detrás del Lincoln azul. El
senador Yarborough gritó: "Han disparado al presidente".

El presidente es tiroteado

Una bala de rifle había alcanzado al presidente Kennedy, le había atravesado el cuello y le había dado al gobernador Connally, que estaba sentado delante de él. Por unos instantes, el tiempo pareció detenerse. Más tarde, cuando los espectadores intentaban rememorar los terribles acontecimientos, no podían creer lo que habían visto. Abraham Zapruder, un hombre de negocios, continuó filmando con su cámara de cine.

Entonces el presidente fue alcanzado, esta vez de muerte, en la cabeza. Cuando se derrumbó, fue como si una película a cámara lenta se acelerara de pronto. El conductor Bill Greer pisó el acelerador del Lincoln. El agente Hill saltó al asiento de atrás del coche, agarrándose en el último momento. En el coche siguiente, el

El agente del Servicio Secreto, Hill, monta en la parte trasera del Lincon, que se aleja a toda velocidad hacia el hospital.

agente Rufus Youngblood se lanzó sobre Lyndon Johnson, para protegerle si se producían más disparos.

Las sirenas aullaban. Unas palomas asustadas levantaron el vuelo. Algunas personas estaban quietas, conmocionadas. Otras miraban a su alrededor, asustadas. La multitud se dispersó mientras los coches desaparecían a toda velocidad, dirigiéndose hacia la autopista. La policía ya había alertado al Hospital Parkland mediante un mensaje de radio.

La señora Kennedy abrazaba el cuerpo herido de su marido cuando los coches que iban delante en la caravana desaparecieron en la oscuridad del paso subterráneo. Los conductores del final de la caravana, que no se habían enterado de lo sucedido, continuaron hacia el Salón de exposiciones.

El coche tardó menos de seis minutos en llegar al hospital. Cuando el presidente Kennedy fue ingresado en la sala de emergencias número uno del hospital, ya no se podía hacer nada por él. En la habitación de al lado yacía el gobernador Connally, malherido e inconsciente. La señora Kennedy, con la ropa llena de sangre, contemplaba cómo los doctores, desesperados, aplicaban los tratamientos de emergencia. Todo fue inútil. A la 1:00 pm el médico del presidente, el contra-almirante George Burkley, confirmó lo que la señora Kennedy sabía ya: el presidente había muerto.

La reacción

L a noticia del asesinato se extendió a una velocidad
asombrosa. Los medios de comunicación que cubrían
un viaje presidencial rutinario se encontraron de pronto con
una situación de emergencia nacional.

Los periodistas
corrieron a los
teléfonos. Desde las
12:34 pm las cadenas de
radio y televisión
comenzaron a dar
noticias del atentado.
Sorprendentemente, a
la 1:00 pm casi un 70
por ciento de los
americanos ya sabía que
alguien había disparado
al presidente Kennedy.

Desde el momento de
la muerte de Kennedy,
Lyndon Johnson fue
presidente. Se lo
comunicaron a la 1:13
pm y, profundamente

*Los titulares de los periódicos informan a la
nación de la muerte del presidente Kennedy.*

conmocionado, murmuró: "Apunten la hora". Ya se había
convocado una reunión de emergencia de los mandos
militares de America. Los servicios de seguridad se centraron

en el nuevo presidente y a la 1:26 pm llevaron a Johnson al aeródromo. Debía llegar a Washington.

Las banderas ondeaban a media asta por toda la nación. Los avances de radio y televisión informaron a América de que John Kennedy había muerto. Los teléfonos no paraban de sonar por toda América y por todo el mundo. El cuerpo del presidente muerto se trasladó desde el hospital hasta el avión que ya le estaba esperando. A las 2:39 pm, en el interior del Air Force One y delante de la juez Sarah Hughes, se tomó juramento a Lyndon Johnson como trigésimo sexto presidente de los Estados Unidos. Ocho minutos después, el reactor despegó hacia Washington, llevando el ataúd del presidente asesinado. Ya se había iniciado la búsqueda de su asesino.

La señora Kennedy, todavía vestida con la ropa ensangrentada, observa cómo Lyndon Johnson jura el cargo de presidente.

La búsqueda del criminal

Menos de dos minutos después de los tiros, el oficial de la policía de Dallas Marrion L. Baker entró corriendo en el almacén de libros, convencido de que los tiros procedían de aquel edificio. En el segundo piso, paró a Lee Harvey Oswald que estaba saliendo, pero le explicaron que Oswald era un empleado, así que le dejó marchar y corrió hacia arriba.

Oswald ya había sido arrestado en Nueva Orleans en el año 1963 por protestar contra la política de los EE.UU.

Al salir del edificio, Oswald se alejó apresuradamente, tomó un autobús, después un taxi y llegó a su casa a la 1:00 pm. Volvió a marcharse inmediatamente. La policía ya estaba buscando a una persona que respondía a su descripción, basándose en la declaración de un testigo ocular que dijo que había visto a un hombre armado asomado en una ventana del almacén.

A la 1:15 pm, el policía J. D. Tippit paró a Oswald. Oswald sacó un revólver y mató a Tippit. Después entró corriendo en un cine, donde la policía lo arrestó a la 1:50 pm.

Oswald fue acusado de los asesinatos del presidente Kennedy y el oficial Tippit. El gobernador Connally sobrevivió. Oswald negó ambas acusaciones. Los periódicos, la radio y la televisión rápidamente investigaron la historia de su vida. Había sido soldado de la marina de los EE.UU., admiraba el comunismo, había vivido en la Unión Soviética y había tratado de convertirse en ciudadano soviético. Un rifle italiano que se encontró en el almacén de libros resultó ser suyo, comprado por catálogo. La policía de Dallas estaba segura de haber atrapado al asesino de Kennedy.

En la mañana del domingo, 24 de noviembre, la policía decidió trasladar a Oswald desde la cárcel de la ciudad a la del estado. De pronto Jack Ruby, un lugareño, se acercó corriendo y le disparó un tiro. Oswald fue llevado enseguida al hospital, y allí murió. Jamás llegaría a ser juzgado por matar al presidente.

Los oficiales de policía escoltaban a Lee Harvey Oswald en su traslado a la cárcel del condado. Momentos después recibió un disparo.

La investigación

El espantoso crimen del 22 de noviembre dejó conmocionada a toda la nación. ¿Quién podía querer matar al jefe de estado americano? ¿Cómo podía morir así un dirigente que estaba vigilado tan de cerca? La gente pedía respuestas al servicio secreto, el FBI y la policía.

El 25 de noviembre, John Kennedy fue enterrado en el Cementerio Nacional de Arlington. Los líderes de muchos países asistieron a la ceremonia y la gente de todo el mundo lloró la muerte de un dirigente cuya vida había sido truncada de manera tan cruel.

La procesión funeraria avanza hacia el cementerio de Arlington.

La muerte del presidente Kennedy fue una tragedia nacional para los Estados Unidos. Puesto que nadie fue juzgado por el asesinato, los acontecimientos del 22 de noviembre siguen discutiéndose una y otra vez. ¿Era Oswald el asesino? ¿Había otros tiradores? ¿Cuántos disparos se produjeron?

En 1964, una comisión del gobierno encabezada por el presidente de la Corte Suprema, Earl Warren, culpó sólo a Oswald. No todo el mundo estuvo de acuerdo. Los expertos en armas seguían sin ponerse de acuerdo acerca del número de disparos. Más tarde un comité del Congreso de los EE.UU. sugirió que había sido una conspiración. Algunas personas opinaban que el verdadero Oswald jamás había regresado a los Estados Unidos y que había sido sustituido por un agente soviético. En 1981 se abrió la tumba de Oswald, y los científicos examinaron el cuerpo para asegurarse. Era el de Oswald.

Muchos libros y películas han analizado los acontecimientos que sucedieron el 22 de noviembre de 1963. Sin embargo, para muchas personas, la historia completa está todavía por contar.

La señora Kennedy y los dos hijos del presidente en el funeral. Los hermanos de JFK están de pie a los lados de Jacqueline.

Los efectos

Tras el asesinato de John Kennedy, se reforzó la seguridad en torno a los presidentes. Hoy en día, a donde quiera que vaya el presidente, le acompaña un enorme equipo de agentes del servicio secreto.

El presidente George W. Bush llega al aeropuerto de Austin, Tejas, acompañado por los agentes del servicio secreto.

Jack Ruby fue condenado a muerte en 1964 por matar a Oswald, pero murió en 1967 mientras esperaba un nuevo juicio. Lyndon Johnson ganó las elecciones de 1964, pero su presidencia quedó ensombrecida por la guerra de Vietnam.

En 1968, el año en que Johnson decidió abandonar la Casa Blanca, América quedó conmocionada por los asesinatos de dos figuras públicas íntimamente ligadas a John Kennedy. El señador Robert Kennedy, que estaba a punto de iniciar su propia carrera hacia la presidencia, fue asesinado en Los Ángeles. Martin Luther King, defensor de los derechos civiles, murió de un tiro en Memphis. Aquellas muertes a tiros llevaron a un control más riguroso en la venta de armas. Los políticos siguieron en el punto de mira. El presidente de los EE.UU. se salvó por poco en dos ocasiones, en el año 1975. En 1981 el presidente Ronald Reagan fue herido por el disparo de un francotirador. Entre los líderes extranjeros asesinados están Anwar Sadat, de Egipto, en 1981 y Yitzhak Rabin de Israel, en 1995.

En una sociedad libre, todos los dirigentes se exponen a los ataques de gente armada o de lunáticos con bombas. Para proteger a nuestros políticos, los servicios de seguridad rastrean los posibles complots y verifican incluso los rumores más descabellados. Después del 22 de noviembre de 1963, la vida pública jamás volvería a ser la misma.

Jacqueline Kennedy fotografiada con la primera ministra hindú Indira Gandhi, en 1962. .

Cronología

1917   *29 de mayo:* nace John Fitzgerald Kennedy.

1936   Después de estudiar en Connecticut, Kennedy ingresa en la Universidad de Harvard para estudiar gobierno y relaciones internacionales.

1939   Kennedy viaja por Europa, poco antes del comienzo de la Segunda Guerra Mundial.

1941   Ingresa en la Marina de los EE.UU. y se embarca cuando su país entra en la guerra.

1943   *2 de agosto:* su nave se hunde cerca del Pacífico. Le queda una dolorosa lesión en la espalda.

1944   Tras la muerte de su hermano Joe en la guerra, Kennedy decide meterse en política cuando llegue la paz.

1946   En su primera campaña política, consigue un asiento en la Cámara de Representantes.

1952   Kennedy es elegido senador por Massachusetts.

1953   *12 de septiembre:* Kennedy se casa con Jacqueline Bouvier.

1956   Intenta convertirse en el candidato demócrata para vicepresidente, pero no consigue suficiente apoyo.

1957   Gana el Premio Pulitzer por su libro titulado *Profiles of Courage*.

1958   Resulta elegido de nuevo para el senado, y comienza a hacer campaña para la Casa Blanca.

1960   *8 de noviembre:* derrota a Richard Nixon y gana las elecciones presidenciales.

1961	20 de enero: Kennedy jura su cargo como trigésimo quinto presidente de los Estados Unidos.
1961	Anuncia la formación del Cuerpo de Paz. Condena la construcción del muro de Berlín por los comunistas de Alemania Oriental. Apoya una invasión de Cuba que después fracasó. Envía asesores militares americanos a Vietnam.
1962	*28 de octubre:* los rusos se retiran, poniendo fin a la crisis de los misiles cubanos.
1963	*26 de junio:* en una visita a Berlín, Kennedy declara "Yo soy berlinés".
1963	*28 de agosto:* declara a los manifestantes de la marcha por los derechos civiles en Washington que apoya sus objetivos.
1963	*30 de agosto:* se establece una "línea directa" entre Washington y Moscú, que permite a los líderes de los EE.UU. y los soviéticos hablar y solucionar las crisis con rapidez. A esto le sigue un tratado de prohibición de las pruebas nucleares firmado en julio de 1963 por los EE.UU., la U.R.S.S. y Reino Unido.
1963	*21 de noviembre:* Kennedy sale de Washington para visitar Tejas.
1963	*22 de noviembre:* Kennedy es asesinado de un tiro al cruzar Dallas en coche.
1963	*24 de noviembre:* El sospechoso, Lee Harvey Oswald, es asesinado cuando está bajo custodia policial.
1963	*25 de noviembre:* Kennedy es enterrado en el Cementerio Nacional de Arlington.
1963	*29 de noviembre:* el Presidente Lyndon Johnson convoca la comisión Warren para investigar la muerte de John F. Kennedy.

Glosario

asistencia social Programas gubernamentales para ayudar a la gente necesitada, como por ejemplo los pobres, ancianos, enfermos y parados.

católico romano Una persona que pertenece a la Iglesia Católica Romana, el mayor grupo cristiano, encabezado por el Papa de Roma.

derechos civiles Libertades y derechos que todas las personas deberían tener; por ejemplo libertad de expresión, libertad de religión y el derecho a un trato justo y equitativo.

embajador El representante oficial de un país en otro país, que dirige una embajada.

FBI (Federal Bureau of Investigation) Una agencia nacional que lucha contra el crimen y pertenece al Departamento de Justicia de los Estados Unidos.

gobernador Máximo representante electo de un estado de los EE.UU.

juramento Una promesa o juramento solemne hecho por una persona ante otras. Todos los presidentes de los Estados Unidos deben jurar su obediencia a la Constitución.

magnicida Alguien que asesina a una persona importante.

partido demócrata Uno de los partidos principales en los Estados Unidos. El otro es el Partido Republicano.

segregación Separación de las personas de acuerdo con su raza, religión o creencias. Algunos estados del sur de los Estados Unidos tenían colegios separados para personas blancas y negras antes de los años 60.

senador miembro electo del Senado, que es una de las cámaras del Congreso de los Estados Unidos. La otra cámara es la Cámara de Representantes.

sospechoso Una persona que es interrogada por la policía acerca de un crimen.

vicepresidente Sustituto del presidente de los Estados Unidos.

Índice analítico